VIVIAN WRONA VAINZOF

ATÉ O PRÓXIMO TROPEÇO

CRÔNICAS, RODEIOS E DEVANEIOS DE UMA MÃE DESCABELADA

EDITORA
Labrador

Copyright © 2020 de Vivian Wrona Vainzof
Todos os direitos desta edição reservados à Editora Labrador.

Coordenação editorial
Pamela Oliveira

Assistência Editorial
Gabriela Castro

Projeto gráfico, diagramação e capa
Felipe Rosa

Revisão
Laila Guilherme
Laura Folgueira

Ilustrações
Andrea Wrona

Dados Internacionais de Catalogação na Publicação (CIP)
Angélica Ilacqua – CRB-8/7057

Vainzof, Vivian Wrona
    Até o próximo tropeço : crônicas, rodeios e devaneios de uma mãe descabelada / Vivian Wrona Vainzof ; ilustrado por Andrea Wrona. – São Paulo : Labrador, 2020.
    64 p. : il.

ISBN 978-65-5625-044-1

1. Crônicas brasileiras 2. Maternidade – Crônicas 3. Mães e filhos – Crônicas
I. Título II. Wrona, Andrea

20-2518   CDD B869.8

Índice para catálogo sistemático:
1. Crônicas brasileiras

Esta obra foi composta em Alegreya 12 pt e impressa em papel Offset 90 g/m² pela gráfica Lis.

Editora Labrador
Diretor editorial: Daniel Pinsky
Rua Dr. José Elias, 520 – Alto da Lapa
05083-030 – São Paulo – SP
+55 (11) 3641-7446
contato@editoralabrador.com.br
www.editoralabrador.com.br
facebook.com/editoralabrador
instagram.com/editoralabrador

A reprodução de qualquer parte desta obra é ilegal e configura uma apropriação indevida dos direitos intelectuais e patrimoniais da autora.

A editora não é responsável pelo conteúdo deste livro.
A autora conhece os fatos narrados, pelos quais é responsável, assim como se responsabiliza pelos juízos emitidos.

Para o Leo,
que, em todos os meus voos
e meus tropeços,
me dá céu
e me dá chão.

Sumário

Primeiras palavras, 7
Feito passarinho, 11
Entre filtros e freios, 14
Mãe-molusco, 17
Coisa de dar nó, 20
Roda mundo, 23
No quartinho dos fundos, 25
A melhor do mundo, 29
Papai só não faz chover, 31
Segredos da criação, 34
Névoa, 37
A língua universal das crianças e dos elefantes, 39
Quando as palavras me contam, 41
Alguma coisa que me escapa, 44
Sobrepeso, 47
Bem debaixo dos nossos pés, 50
Até o próximo tropeço, 53
O que me alimenta, 59
A essência da peça, 62

Primeiras palavras

O que a maternidade faz da gente?

E o que deixamos de fazer quando nos tornamos pais e mães?

Desde que escutei choro de filho pela primeira vez e segurei aquele bebê com embaraço, tão desajeitada, essas e outras perguntas batem à minha porta todos os dias. Às vezes, entram sem bater.

Já ouvi que maternidade é plenitude. Mas nós, mães, conhecemos bem cedo a privação de sono, e logo em seguida vem a falta de tempo. Depois, carecemos de paciência, de tranquilidade, de garantias... Insistimos em acertar sempre, em resolver tudo. Sugerimos respostas para perguntas que nem sequer foram feitas. Mesmo assim, a ideia de suprir todas as faltas é ilusão. Mãe é ser cindido, por definição.

A mãe perfeita mora no quarto ao lado e nos ronda com sua inquestionável sabedoria. Ela faria tudo diferente, tão segura e cheia de si. A mãe perfeita não perde a paciência nem as estribeiras, nunca levanta a voz. Coloca limites sem perder a ternura. Ela cobra e acolhe, planeja e cumpre, ensina e pune.

E então chegam os filhos.

Eles vêm ao encontro das mães verdadeiras, desprovidas da completude com que sonharam. Porque o deleitamento materno também alimenta os nossos fantasmas. A maternidade real atropela as expectativas e escancara nossas fragilidades, expõe nossos medos, revela tantas fraquezas.

Mas o assombro, se não paralisa, excita. A incerteza abre caminhos por dentro da gente, nos faz pensar e repensar. Se é diante das falhas que podemos nos reinventar, por que é tão imperativo o impulso de resolver tudo para os filhos? Não seriam justamente as brechas as maiores possibilidades de descobertas?

Quando a convicção foge do nosso alcance, já não sabemos quais são as respostas que ficaram presas para sempre ou quais foram as perguntas que deixamos do lado de fora. Desconfio que estas sejam boas frestas para arejar as ideias e amadurecer.

Desde que escutei choro de filho pela primeira vez, nunca mais parei de matutar sobre a maternidade, a educação, as relações, as minhas essências.

O exercício constante da reflexão alivia as angústias, pacifica inquietudes, nos livra de cobranças e ansiedades e nos fortalece diante das escolhas diárias. Tira da conta dos filhos tudo o que deixamos de fazer e de ser e bota em nosso próprio colo a responsabilidade de ser feliz.

As crônicas que publico a seguir nasceram junto com a Matutaí, um projeto que começou há três anos, quando eu e minha sócia-sósia-irmã-homônima e companheira inseparável parimos a necessidade de compartilhar com outras mães as vicissitudes da maternidade.

Faço um convite para que a leitura desses textos te leve a matutar sobre as suas próprias relações afetivas, principalmente com os filhos. Esse passeio tortuoso se dá em companhia de ilustrações que minha amada irmã Andrea fez para o livro, antes mesmo de ler os textos. Assim, a arte é uma narrativa em si e conta, de uma outra forma, as idealizações e as fragilidades, as alegrias e as decepções, as ambiguidades e as incongruências, os desvios, os tropeços, os descaminhos e os deleites de ser mãe.

Feito passarinho

Quando se tem filhos em casa, os anos são vendaval e os dias parecem rastejar longos e medíocres. Quando vejo, os dentes de leite já derramaram, não encontro a chupeta nem as fraldas e ainda estou impaciente para terminarem o jantar.

Quando os machucados já não saram com beijo, quando já não preciso amarrar seus cadarços nem fechar a água do chuveiro, quando os choros estão mais altos, mas começam a rarear, quando escolhem suas próprias músicas e contam sua própria história, ainda espero que adormeçam com a luz acesa, porque tenho medo do escuro.

Os roxos nas canelas e uma cicatriz na testa são o rastro da infância, são meu baú de reminiscências, guardados a oito chaves.

Hoje o dia amanheceu ensolarado, e eu também. A família toda se arruma para sair, cada um para seu encontro. Não me lembro de que isso tenha acontecido antes. A cena é em tom pastel.

Sentada no meu jardim, com uma xícara de café, assisto a eles nascerem.

Um menino de cabelo arrepiado sorri para mim, e me arrepio de ver que ele sabe o que quer. Ele tem gosto por saber e por querer, sem querer saber o que podem achar disso. E eu continuo com medo de soltar da mão, porque acho que ele pode se desequilibrar.

O outro me pede mais dez minutos de infância. Vai crescer criança. Pequeno só de tamanho. Golias para acreditar. Que se aninha no meu colo, feito passarinho.

Bons encontros, meus amores. Bom passeio.

Não voltem tarde, juízo, divirtam-se. Cresçam saudáveis e felizes.

Amanhã de manhã já podem ter se passado mais vinte ou sessenta anos. E eu estarei sentada no jardim, vendo vocês nascerem todos os dias.

Entre filtros e freios

Stephen Kanitz disse, certa vez, que foi casado três vezes, todas com a mesma mulher. Li essa crônica há anos e guardei a passagem com um carinho especial. Além de ser uma perspectiva otimista e bem-humorada para as crises no casamento, é também uma chave-mestra em momentos que parecem sem saída.

O casamento pode ser um bálsamo para algumas pessoas, mas ele desafia o equilíbrio emocional, já que é a única sociedade que estabelece um acordo de direitos iguais entre duas partes. Tendo em vista que pessoas discordam, discutem, perdem a paciência e a razão, mudam de opinião, o cabo de guerra pode ser devastador. Romper a corda, muitas vezes, derruba cada um para um lado com tanta violência que machuca tanto ou mais do que o impasse anterior. Por isso, gosto da ideia de recomeçar diversas vezes a mesma história.

Num dia desses, levei as crianças a um campo de batalha de Nerf — uma espécie de arena de *paintball*, mas com balas de espuma. Lá pelas tantas, todos correndo, atirando, fugindo, escuto o grito da vitória: "Te matei!!!". Mas o menino matado respondeu com calma: "Não valeu, eu estava de *pause*". O vitorioso ficou sem reação. Aguardou que o outro terminasse de se organizar, de se recompor, e recomeçaram a partida.

"Contra *pause*, não há argumentos", pensei eu, tentando aprender com a lógica das crianças...

O menino tinha razão. Tudo na vida precisa de uma pausa, um tempo para se ajeitar, para clarear as ideias, redefinir os rumos, rever estratégias.

Meus textos precisam de revisão. Contas precisam de revisão. Até o carro precisa de uma, a cada seis ou doze meses. Então, como podemos imaginar que o casamento siga fluido e suave depois de décadas? Quando um marido sustenta a família, mas já não pode sustentar o olhar; quando uma esposa dá presentes, mas não consegue dar um abraço apertado; quando um casal está junto na sala, mas cada um no seu bate-papo; quando dividem a cama e a conta do banco, mas não compartilham fantasias e sonhos... não estaria na hora de revisar algumas engrenagens?

A lista de itens opcionais no orçamento da concessionária me deixa aflita. Filtro de ar e de óleo, lâmpada traseira, junta do dreno, vela da ignição... Peças que nunca vi de frente, a quem nunca prometi amor eterno, com quem não fiz planos de ser feliz têm seu lugar marcado no planejamento familiar. Há anos que o Wilson me avisa que está chegando a hora de agendar a revisão. "O prazo é o final deste mês, dona Vivian, para não perder a garantia." O vozeirão ainda me alerta que, da última vez, não fizemos alinhamento e balanceamento, "seria bom cuidar disso dessa vez"...

Será que, em casa, eu me mantenho alinhada e balanceada? Será que estou prestando atenção aos meus filtros e freios? E quem vai me alertar de que já é hora de revisar? Talvez tenha o número de telefone do Wilson, para perguntar como renovo a garantia de viver feliz para sempre.

Mãe-molusco

Eu nunca tinha visto um polvo tão grande e tão de perto. Nem me lembro se já havia mesmo visto um polvo antes, mas esse, com todos os braços abertos, contava quase um metro de diâmetro. Não sei se tentáculo de polvo é braço ou é perna, mas, olhando aquele bicho andar, tive certeza de que isso não fazia a menor diferença. Acho que é um pouco de cada; dependendo da hora e da necessidade, ele se vale de uma ou outra condição. Entendo bem isso...

A cabeça, então, era ainda mais impressionante. Ou então aquilo era o corpo dele, enorme e disforme... Eu não conseguia parar de olhar.

Estávamos dentro do pequeno pesqueiro que nos trouxera do passeio pelo canal. No fim do dia, crianças e adultos voltavam para casa remando, velejando ou roncando baixo o motor dos barcos. Ancoravam na frente das casinhas que contornam a lagoa pantanosa, na paisagem de brinquedo.

Dizem que no fundo daquela água turva vivem tubarões e que são amigáveis, mas não tivemos o prazer de um encontro frente a frente.

Só encontrei o polvo.

Ele estava dependurado no píer que chega até a marina. O marinheiro enganchou o bicho para se exibir. Levou-o para cima do deque de madeira e largou no chão uma massa rosada, gosmenta e despontada. Ainda fisgou um canto de pata, lascou uma fatia fina da pontinha direita duma das mãos — ou pés.

Mas o polvo não podia lamber a ferida, estava em seu caminho de volta ao mar.

Já passei por isso também. Talvez a família o esperasse para o jantar? Lá ia apressado, embolado, um pouco machucado. A cara zangada não era reflexo de um coração endurecido, devia ser só preocupação.

Eu me solidarizei outra vez com o polvo. Dava para ver que ele perdia a cabeça, trocava os pés pelas mãos, se atrapalhava, mas ele não parava, não parava...

Coisa de dar nó

Domingo era dia de pizza na casa da minha avó. Na verdade, era a avó da minha mãe, mas como a gente não tinha outra chamávamos essa bisavó de vó, e desse jeito ficou. Ela era bem velhinha e parecia que tinha sido sempre assim, muito vagarosa, de poucas palavras, quase surda. O telefone da casa dela, que ficava num aparador bem em frente à entrada, perto da porta da cozinha, quando tocava, alarmava até o corpo de bombeiros, e nem assim ela atendia... Mas ele tocava pouco — era muito sozinha, ela. Morava num pequeno apartamento cinzento, em frente ao Parque da Luz, mas era escuro a qualquer hora do dia e me dava calafrios. De Clara, tinha o nome e o cabelo, branco e brilhante. Ela usava o vestido abaixo dos joelhos, casaco de lã, meia grossa e sapatos que mostravam o dedão dos pés sempre inchados. Além de só, a vovó Clara era ranzinza. Talvez uma coisa tenha levado à outra, mas não daria para saber o que aconteceu primeiro. A vida não lhe foi só gentilezas, e ela aguentou firme até quase os cem. E nós fomos lá todos os domingos.

Depois de me casar, adotei uma avó que já quase não é postiça, é legitimamente minha. Meus filhos vivem com a bisavó e com os avós, os tios e os primos, assim como fomos criados também. Os laços familiares teceram boa parte das minhas raízes.

Esta semana, um pequeno grupo de primos meus viajou até Varsóvia, na Polônia, para visitar uma parte da história que lá ficou enterrada e esquecida por décadas. Visitaram a rua, o bairro e os túmulos de uma gente muito distante, mas eram bisnetos visitando seus bisavôs. Reencontraram a casa, a cidade e a vida da minha querida avó, que conheci pouco, com quem convivi pouco, mas que amo muito, de quem sei tantas histórias; lembro-me do perfume, da pele macia, do tom de voz, do sotaque, do olhar baixo, do cabelo arrumado, do sorriso melancólico. Sou pentaneta de um casal que não viu seus filhos desembarcarem em terras tropicais, não conheceu netos, nem bisnetos, nem todos os outros que vieram depois deles. Tenho os olhos dela. O que mais em mim será deles?

Cinco gerações e um mar todo de distância não foram suficientes para afrouxar a ligação dessa família. Dezenas de parentes acompanhando a viagem à distância, diversas gerações compartilhando as lembranças e as emoções com todos os que foram e os que ficaram, foi coisa de dar nó na garganta, de apertar laço familiar, de atar vínculo por muitas gerações mais.

Roda mundo

Tem um dia na vida em que deixamos de ser o todo dia da nossa vida. Ainda ontem, éramos piões saracoteando de um canto a outro, rodando num eixo que era só nosso e acreditando que quem girava era o mundo, só para a gente ver. Tempos de mocidade, de vivacidade atroz, de energia que parecia sem fim.

Mas chega um dia em que, se viramos mãe ou pai, passamos a ser corda. E aquela vitalidade do pião, a leveza de quem não precisa se preocupar muito com aonde vai nem como permanece em pé, se transforma em força motriz. Somos então os lançadores, as guias para outros giros. Podemos agora apreciar mais de longe... E quantos caminhos é possível avistar de fora? Quantas quedas poderíamos antecipar? Mas corda não para pião. Não define todos os caminhos nem evita todas as quedas. Ela pode colocar ali suas melhores intenções, seus desejos, suas maiores verdades, seus valores, suas expectativas. A corda dá centro e sentido e depois sai de cena, ela não pode girar junto. O melhor que faz é admirar, e a corda sorri só de ver o pião girar sem parar. E como é bonito de ver! Ele gira contente com a conquista. E se o arremesso foi consistente, o pião segue firme na pontinha do pé que segura seu corpo todo no chão, tão frágil e tão estável, tão vulnerável e tão seguro de si. É lindo de ver...

A corda se recolhe um pouco, sem se afastar demais. Ela repousa lá perto, logo pode ser necessária, mas só se o pião quiser. Ela vai estar ali sempre que o pião precisar se reerguer e restabelecer seu eixo. E de novo, e de novo.

Não acho que um papel seja melhor que o outro. Acredito que cada um tem sua graça na sua hora. Pais e filhos ora são espelho, ora são seu avesso; ora caminham lado a lado, ora permanecem mais distantes. Depende muito de como amarramos a corda, de como lançamos o pião, de como rondamos seus movimentos e de como percebemos seus deslizes.

Hoje eu sou mais corda do que nunca. O protagonismo não é mais tão meu na vida dos meus filhos. Mas como é bonito vê-los crescer, vê-los saracoteando por aí, bambeando íntegros, com centro e com eixo.

É mesmo lindo de ver.

No quartinho dos fundos

Perguntei para algumas pessoas próximas em quem confio e a quem admiro de formas muito variadas, quase todas mães e pais, mas todas filhos: o que você acha do Dia das Mães?

Recebi muitas respostas imediatas, simples e diretas, que estavam, provavelmente, guardadas nas prateleiras baixas de uma vitrine das ideias que alguns têm da vida e das relações com as pessoas. Depois vieram algumas outras, cobertas de um resto de pó que insiste em encobrir os pensamentos armazenados no quartinho dos fundos, não por serem mais preciosos, mas por serem mais antigos e talvez muito antiquados. Não sei se são. Acho que ficam ali, aprisionados no tempo e cada vez mais difíceis de encontrar, mas são os que nos trazem mais frescor, já que convidam a repensar. Fui lendo as respostas e procurando onde estaria guardada a minha.

Gostei de ler nas entrelinhas a perspectiva de mãe ou de filho na reflexão de cada um. Não depende muito de idade a pessoa ser mais mãe ou mais filha. É da gente, e acho que não passa nunca. Para mim, mais de dez anos depois de ser mãe, nesse dia ainda gosto de achar minha mãe a mais bela, de ver como seus olhos verdes e seu sorriso largo me acolhem, como seu abraço é macio e ainda posso me encolher no colo dela.

Por muitos anos, acreditei que a data tinha perdido a essência, com a obrigação da presença em dia e horário marcados, o presente, as filas nos restaurantes lotados e os encontros tão vazios.

Recebi considerações sobre o abuso comercial dessa data, a pressão cultural de uma sociedade consumista, alguns levantaram a bandeira de que todo dia é Dia das Mães.

Pode ser. Mas, pensando bem, acho bonito celebrar a maternidade e reconhecer as mães quando vêm disfarçadas de uma tia, uma avó, uma irmã, uma professora e até um pai, como bem me lembraram.

Mesmo que a maternidade seja todo dia, seja toda hora, mesmo que amar esteja nos detalhes do cotidiano e não nas grandes declarações, mesmo que a cumplicidade se crie na rotina compartilhada e não só em datas festivas, mesmo assim, o todo dia às vezes nos despista de nós mesmos. E pode ser que a gente esteja precisando de um empurrãozinho, de um pretexto para reunir a família, de uma oportunidade, no meio de tanta vitrine, de tanto compromisso, de tanta pressa, de tantos rancores, de tantas certezas, para um encontro amoroso.

Não acho isso só porque os beijos e abraços que ganho ainda são espontâneos e os presentes que eles criam só para mim me levam ao céu. Acho isso porque gosto de lembrar, esquecidos que estamos, de honrar e agradecer por tudo o que ela é para mim.

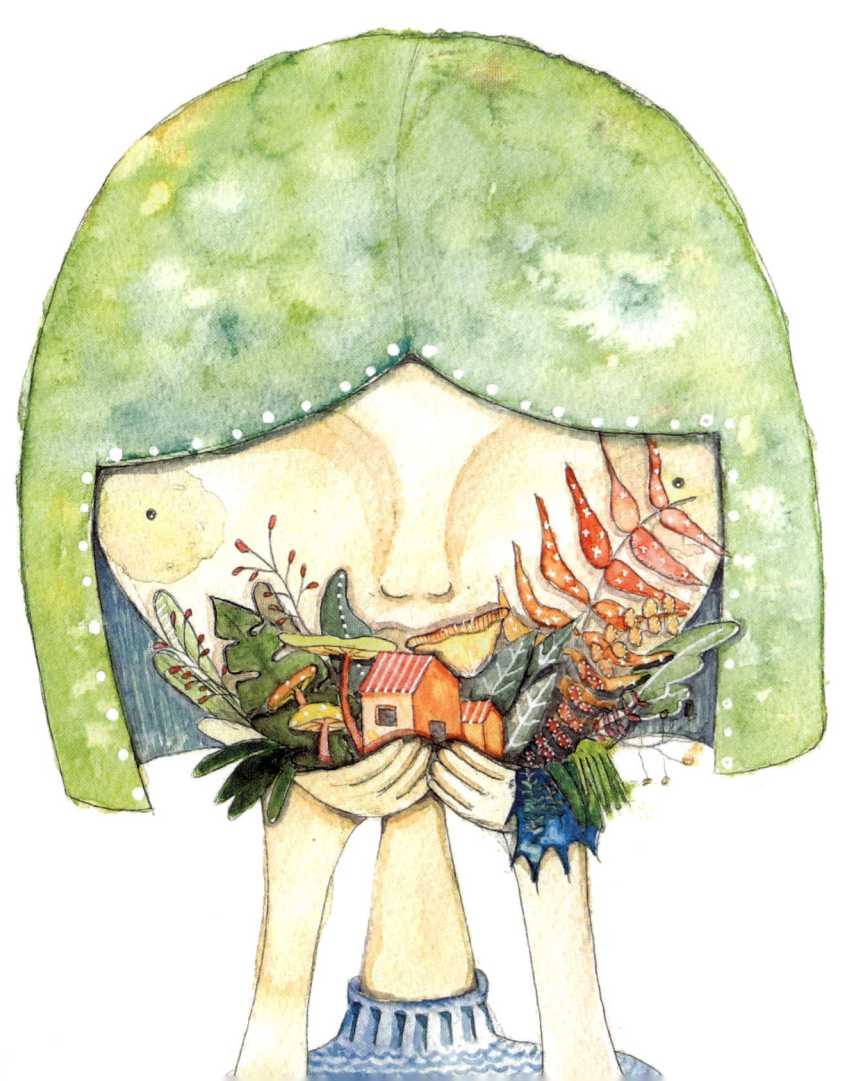

A melhor do mundo

"Sou a pessoa mais sortuda desse mundo, estou certa disso... Porque vocês são as crianças mais incríveis que já vi na vida!", dizia eu um dia desses aos meus filhos na hora de dormir.

"Mamãe, você não acha que todas as mães pensam assim?"

A pergunta interrompeu meu suspiro e me pôs no chão. Admirar meu filho mais velho relativizar minhas certezas me fez voltar a suspirar...

Toda noite, depois da história, na penumbra verde do abajur em forma de nave espacial que clareia nossos abraços de boa-noite, escuto as mais verdadeiras declarações de amor, sou a melhor mãe do mundo.

Mas o que é ser a melhor mãe do mundo? Para quem eu posso ser a melhor? Melhor em que, afinal?

Posso ser a melhor mãe para os meus filhos hoje. Mas não pode alguém ou alguma coisa ser perfeita sempre e para sempre.

Na hora da fome, do sono, do ciúme, da raiva, meus filhos não são nada incríveis. Mas me empenho para acolher seus erros, seus medos, suas falhas, seus descuidos, suas inquietudes, de peito aberto. Imagino que eles também perdoem minhas impaciências e ansiedades, só porque essa é a única alternativa possível para que eu seja a melhor para eles.

Pensando no que é o melhor para eles, a conversa de mães e pais quase sempre recai sobre a escola dos filhos.

Qual é a melhor escola da cidade, do Brasil ou do mundo? Acredito que o que faz uma escola ser melhor que outra depende apenas de quem pergunta.

Se a melhor mãe do mundo existe no coração de cada filho, assim como os filhos mais incríveis nascem do olhar de cada mãe, a escola perfeita talvez também seja aquela que escolhemos pela honestidade e pelo respeito aos nossos valores e desejos. Aquela de que escolhemos ser parceiros, pela qual torcemos para dar muito certo, que protegemos e da qual cuidamos, que acolhemos nos deslizes, com cujas conquistas vibramos, assim como fazemos com quem amamos. Nossas atitudes se refletem nas crianças, e nossos exemplos são a maior fonte de aprendizado.

Papai só não faz chover

Sou mãe e sou filha, e, por mais que o primeiro papel tome a maior parte dos meus dias, uma criança aqui dentro ainda ocupa a maior parte de mim.

São só dez ou doze anos de infância. Com mais uns da adolescência, vá lá. Mas parece ser a vida inteira. Para mim, é tão recente tudo o que ouvi e senti em casa com minhas irmãs — o jantar em família, falando do dia e tendo que comer, com desgosto, toda a verdura do prato. As viagens de carro, cantando num harmonioso desafino. A mão fria, de unhas pintadas, apertando meu braço contra o termômetro nas noites de febre. As broncas que escapavam por entre lábios semicerrados, acobertadas pelo espesso bigode escuro, enquanto as têmporas inflavam como guelras.

É quase sem perceber que vou levando aos meus filhos toda a vida já vivida. As brincadeiras se repetem, as músicas, os livros, as receitas que vão para a mesa, os passeios, as preocupações, os sonhos, vou tirando um a um da mala de couro ruivo, alaranjado, que minha mãe ainda guarda num quartinho, junto com muitas coisas e memórias daquele tempo em que as malas não tinham rodinhas.

Quando meu pai chegava em casa à tardinha, a gente desligava o telefone. Lá em casa já se falava em convivência. TV, tínhamos uma só. E, sem alternativas eletrônicas, era preciso escolher o programa de comum acordo, embora a palavra final fosse sempre dele. Respeito paterno também é inegociável no meu novo núcleo familiar.

Conto para meus filhos as inúmeras vezes em que esperei alguém aparecer na saída do clube para me buscar. O horário marcado era mera referência, podia ser horas mais tarde. Sem chance de entrar em contato com quem vinha de longe, engarrafado no trânsito de São Paulo, o jeito era apelar para a confiança de que sempre viriam, como até hoje escolho viver. E eles sempre vieram.

Quando mudei de escola na então quarta série, trouxe um recado da professora que meu pai abriu e leu: "Mamãe, a Vivian conversou na classe hoje". Ao que respondeu, na mesma folha de papel: "Em casa ela também conversou". Envergonhada pelo pai que sempre misturava severidade com humor, senti também a segurança de poder ser quem sou e quero ser.

Lá pelos 14 anos, fiz uma viagem de estudos a Israel, com um grupo de jovens de todo o país. Na mesma época, minha irmã mais velha prestava vestibular e a menor viajou para o parque da Disney com uma família de amigos. Nunca me esqueço das meias de lã coloridas que ganhamos de presente, com cartões que diziam assim: "Para ter pé quente" (para a maior), "Para pisar nas estrelas" (para a caçula) e "Para seguir os passos dos profetas" (para mim). E o caminho foi sempre aquecido pela presença deles, colorido pela existência deles e amparado pelas mãos dadas com eles.

A voz do meu pai soa clara nos meus ouvidos:

"Papai só não faz...", ele falava alto, desafiando as filhas.

"Chover!", gritávamos as três, orgulhosas e sorridentes. Acho que ele fez de tudo por nós.

Já há mais de 25 anos que não escuto sua voz. Mas sei o que ele diria. Porque meus filhos me convidam todos os dias a lembrar a estrada por onde vim, o que carrego comigo e o que posso ensinar a eles.

Segredos da criação

As águas de março deram uma trégua para a capital paulista, o céu não ficou tão negro antes do fim do dia, e pudemos poupar os sapatos e o penteado. Mas uma escuridão pairava, pelo menos para mim. Eu ainda não tinha lido a notícia da morte de Stephen Hawking quando senti um buraco negro se abrindo aqui dentro. Sentada no sofá da sala, fui afundando num breu criativo que não me deixava escrever. Os assuntos mais falados na mídia hoje devem ter sugado a luz de alguma ideia que achei que teria, mas não tive. Se as matérias e antimatérias, como vim a saber, evaporam nessa condição, entendo que a inspiração de uma escritora sofra algum tipo de reação física ou química dessa natureza... Será? Quis saber mais.

Hawking morreu e encerrou sua jornada em busca de respostas sobre o universo, o tempo, a galáxia, os átomos, a teoria de tudo, mas me interessei mais pelo vislumbre dos segredos mais profundos da criação. É sobre o que reflito quase todos os dias, de alguma forma. De onde viemos e para onde estamos indo, o que houve antes são algumas das principais preocupações de uma mãe, mesmo quando não me refiro apenas às idas da escola ao dentista. Fui lendo sobre as estrelas e os planetas que vivem rodeados de outros satélites ou luas que orbitam à sua volta de forma imperfeita, tão mães em torno dos filhos... Porque "sem imperfeição, você e eu não existiríamos", não é, Hawking?

Mais de perto, o físico foi ganhando ainda mais a minha simpatia. Em *Uma breve história do tempo*, um capítulo todo foi dedicado a buracos de minhocas e como eles talvez possam ser usados para uma viagem no tempo! O que isso significa para a ciência, não consigo argumentar, mas é alimento supersônico para a imaginação.

Por essa e por outras descobertas minhas recentíssimas sobre dimensões espaciais e outras reflexões científicas, gostaria de agradecer a Stephen Hawking, como uma última homenagem (e minha primeira também...). Repensar a ideia de que o tempo não é absoluto, por exemplo, é libertador. Então era verdade que eu estava esperando havia horas as crianças saírem do balanço quando elas puderam brincar tão pouco...

Continuo matutando sobre o universo ser completamente contido em si mesmo, como são as mães, sem início nem fim. Sobre a singularidade nua, nos buracos negros, como pontos no espaço que refletem a luz e por isso atraem os olhares de fora, como os filhos. E sigo tentando desvendar outros mistérios das dinâmicas que movimentam o meu universo.

Obrigada, Hawking.

Névoa

Está tudo embaçado de repente...

Eu queria enxergar mais longe, queria antecipar o que é que vem pela frente. Mais que isso, queria avistar para onde vou, para onde estou levando meus filhos, o que dá contorno a isso tudo. Onde se escondeu o horizonte?

A nitidez saiu de férias.

Uma névoa turva anestesia os olhos quando tudo antes era tão claro, tão evidente, tão previsível. Agora só resta o incerto.

Os caminhos conhecidos tremem embaixo dos meus pés, já não reconheço o que estava bem aqui.

Ao meu redor, vejo uma gente adunca, sentada em espera eterna, olhando a poucos palmos do nariz, com olhar vidrado. Um nada disfarçado de tudo, que chamam de smartphone.

A vida vai tocando em frente, segue o rumo, rápida ou vagarosa, ela passa. E quem não parar para olhar, já viu...

O que vejo agora é apenas um vulto do que sei, um esboço do que ainda verei.

Mas não me falta paciência. Sei que a nuvem vai passar, que o céu vai se alumiar, sei que tudo se clareia para quem sabe esperar.

Eu aguardo a minha vez.

E nessa hora, menos atordoada e menos atormentada, escuto a recepcionista chamar meu nome.

Minha pupila já começou a se encolher, vou voltar para casa tranquila depois de ouvir que, beirando os quarenta, a miopia não avançou.

Amém.

A língua universal das crianças e dos elefantes

Mac é africano de Malwee, da pele de ônix, e um sorriso que amacia qualquer coisa que ele diz. Há vinte anos, cuida de elefantes resgatados por maus-tratos, até que possam voltar para a natureza. Sally, Shanti, Tatto, Tandhi e outros aguardam sua chance de retornar para a selva. O parque onde vivem é aberto ao público para visitação. Os turistas passeiam e alimentam aquelas criaturas gigantescas como se fossem bichos de estimação. E Mac acompanha tudo com seu sorriso largo, explica que os animais são selvagens, mas aprenderam a reconhecer os guias pela roupa e pela voz. Pelo jeito como ele pega na mão das crianças, as abraça e caminham juntos, rindo, parecem velhos amigos. Não falam a mesma língua, mas se comunicam com tanta naturalidade...

Bongi e Hemmet são outros dois negros cuja marca é a simpatia. Falam com o sotaque carregado de uma das dezenas de línguas oficiais da África do Sul. Ela é dada, canta, dança e ri. Ele é de poucas palavras, mas seu afeto aparece numa brincadeira, num segredo, no tempero da comida servida de surpresa. Não seria de estranhar que eu sentisse saudade deles depois de uma curtíssima convivência. Mas por que algumas pessoas passam por nós leves como vento e, ainda assim, deixam marcas fundas na gente?

Curioso viajar e ver como pessoas são pessoas ao redor do mundo inteiro, nos destinos mais distantes, sempre em busca de cuidado e aceitação.

Olhando ao redor, penso neles e em quantas vezes nossas palavras ou nosso tom de voz são lixa para quem os engole, espora no peito de quem escuta. Por que, para alguns, é tão fácil ser gentil? Será que um sorriso amável, fácil e colorido como pipoca doce é mais custoso do que um olhar gelado? Seria essa uma escolha de cada dia?

Fazemos milhares de escolhas ao longo da vida. A roupa, a comida, o caminho, a companhia, a música, as prioridades, as parcerias, a nossa energia. Acredito que nós escolhemos para onde olhamos e, mais que isso, escolhemos também o que vemos. E o que estamos vendo?

Se eu puder escolher, prefiro enxergar o que for mais belo e o que for mais genuíno e o que for mais recíproco. Escolho olhar para o que for mais transparente, não porque queira ver além ou através, mas porque o transparente aceita todas as escolhas, sem sobreposição. Fala a língua universal da empatia, que aproxima pessoas, que acolhe as crianças, que mesmo elefantes conseguem entender.

Quando as palavras me contam

"Não escreva para aparecer, escreva por não se conter", recomenda o escritor Márcio Vassallo, e com essa reflexão começo a escrever.

Numa época em que tantas pessoas se mostram o tempo todo, se expor ganhou nova conotação. Não se trata mais tanto de se apresentar e correr o risco de se revelar. Pelo contrário, a exibição atualmente é uma boa forma de proteção. Hoje é possível escolher os melhores ângulos, versões, retoques, num movimento um tanto incômodo. O que se vê é uma faceta. Impossível saber o que vai além da superfície.

Publico semanalmente crônicas sobre educação e relações com os filhos. São relatos muito pessoais de situações fáceis ou difíceis que me fizeram pensar. Mas quanto de mim será que escondo nas linhas? E quanto entrego nas entrelinhas?

Não suponho agradar a todos que me leem. Não pretendo atrair incontáveis fãs que curtem minhas postagens sem sequer refletir sobre as questões que mais me perturbam e me deslocam. Seria superficial demais, tal qual Narciso em seu mergulho no espelho.

Mas o que sinto e vejo e acho sobre a maternidade e a criação dos nossos filhos às vezes não cabe em mim. O que vivo e planto e colho em casa com meus meninos quase sempre é maior que eu, é mais do que posso dar conta de digerir e, por isso, transborda. É quando começo a busca pelas palavras mais precisas, mais afiadas na tradução das minhas impressões. As palavras me salvam quando me contam o que eu não havia apreendido. Por isso, escrevo.

Palavras, muitas palavras é um livro da Ruth Rocha que eu lia quando pequena e apresentei aos meus filhos assim que começaram a arranhar suas primeiras leituras. Não é um livro de história, não tem enredo nem moralismo, nem mensagem subliminar, apenas uma deliciosa coreografia de palavras. Mostra-se por inteiro numa simplicidade sem fim.

Este é o meu desejo: que as relações sejam mais limpas, mais leves, mais fundas, sem rodeios, sem Photoshop, sem ranking, sem véus, sem salto alto. E que possamos nos olhar mais nos olhos e nos mostrar uns aos outros desarmados, só porque não demos conta de que não fosse assim.

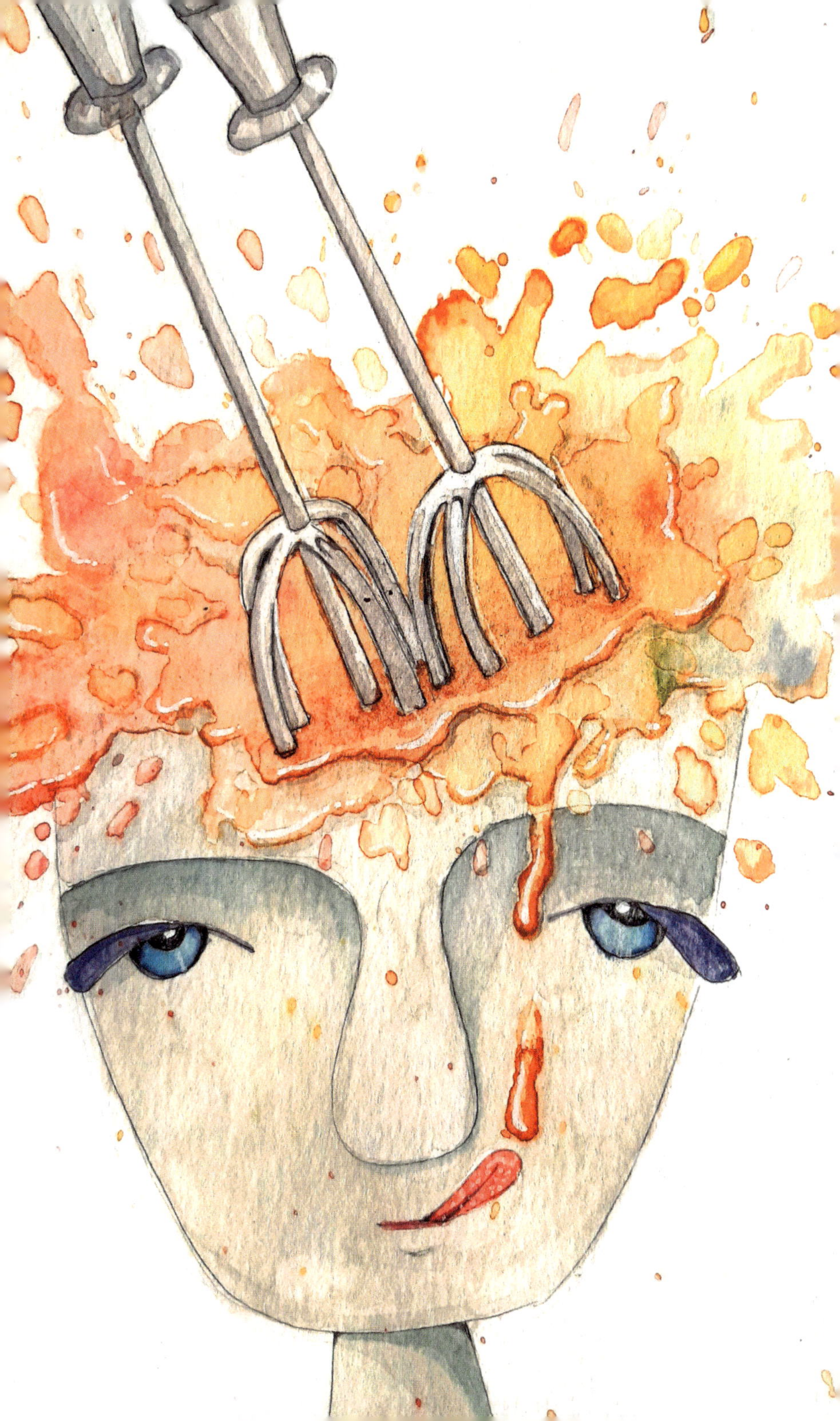

Alguma coisa que me escapa

Estou lendo *Hello, Brasil*, de Contardo Caligaris, na varanda de casa, numa tarde quente. O psicanalista italiano morou e trabalhou por muitos anos em Paris e vai me contando, com o sotaque que sempre escuto lendo autores estrangeiros, sobre sua própria descoberta do Brasil, sua chegada aqui nos anos 1980, as percepções de um viajante europeu no encontro com os tupiniquins.

Enquanto leio o relato que revela o espanto do escritor com as peculiaridades da infância nesse país, da janela do apartamento vizinho escuto, há quase meia hora, uma criança que grita inconformada com alguma coisa que me escapa. A mãe está tentando contornar a situação, mas fica claro quem dá as regras e quem se sujeita (ou tenta não se sujeitar) a elas. Engulo em seco, pensando na naturalidade com que compactuo com a cena, não porque concorde, mas porque tolero sem tanta estranheza.

Página por página, ele me confronta com as singularidades da sociedade brasileira, sobretudo do reinado das nossas crianças, os vizinhos dando vivas vozes a tudo, ao vivo.

Caligaris flagra crianças que correm por entre as mesas de um restaurante de luxo sem ser incomodadas. Procura, mas não acha um cliente que se queixe, um garçom que as repreenda. E quem de nós está repreendendo os próprios filhos? Ele se surpreende com a superioridade com que fazem pedidos imperativos às domésticas e aos garçons. Herança colonialista? Ele não entende os hotéis, restaurantes, clubes, condomínios que oferecem atividades infantis dirigidas, apartadas da convivência familiar, como se crianças não soubessem brincar sozinhas. Mas ainda sabem? E com o fato de quase toda aprendizagem por aqui ser lúdica... O lazer como carro-chefe da vida. Aos seus olhos, não parece haver aqui o prazer do esforço, o gosto pela conquista, "o interesse pelo gozo limitado e trabalhoso da aprendizagem".

O autor parece estar numa janela próxima à minha quando comenta, na página seguinte, sobre nossa dificuldade brasileira de reprimir.

"O Brasil é o paraíso das crianças", pondera ele.

Espio para fora da janela, mas não vejo o Caligaris, tampouco consigo enxergar esse lugar ideal. Educar não é apenas censurar, corrigir, castigar, mas a autoridade, os limites e a subordinação definem lugares de cada um na família. E, de qualquer forma, nunca houve um paraíso sem proibição, porque a interdição ajuda a desejar.

O que eu desejo? Apenas levantar da varanda, tomar um gole de chá gelado. Depois posso tentar traduzir o que dizem com sotaque à brasileira, sobre entregar aos filhos o banco do motorista para que conduzam sozinhos os rumos da própria vida.

Sobrepeso

Não sou do culto ao corpo, não subo jamais numa balança, a não ser que eu esteja no parquinho, mas começo a achar que já é hora de me cuidar. Dia desses, reparei nos meus excessos. Saía de casa apressada; no ombro, a bolsa, uma sacola, o computador e a lista de compras. No caminho, ainda ofereci o dedo mindinho em gancho para segurar a lancheira de um filho enquanto ele amarrava os sapatos. Mas nada disso me pesa tanto quanto a pilha bamba que carrego no topo da cabeça. Uma pilha de coisas que me preocupam, outras que devo lembrar de fazer, lembrar de comprar, de buscar ou lembrar de dizer, ou de não dizer, coisas que penso, repenso e mais umas que preciso lembrar de esquecer. Mas lembrar de esquecer é uma ruína, porque quando lembro delas já não dá para esquecer, e a pilha só cresce, fico rodando, tentando encontrar a saída. Rodar e equilibrar a pilha de coisas na cabeça é coisa para mãe ou para malabaristas...

Deixo as crianças na escola, "fecha a mochila", "leva o casaco", "devolve o lápis da Manu", "a vovó que vem te buscar". Reparei na lancheira no banco da frente. Primeira queda do dia, lá do topo da minha pilha, direto para o banco do carro. Despencou sem fazer barulho, caiu da pilha de coisas a lembrar, enquanto eu empilhava outras mais, em meio aos beijos de bom-dia.

Entro no supermercado tentando encontrar a lista de compras, reviro a bolsa, não acho. Será que coloquei na sacola? Passeio pelos corredores lembrando o que consigo, mas os itens não constavam da minha pilha. O que anoto, já não acumulo na memória bamba do topo da minha cabeça, ou seria obesa mórbida pelo infinito excesso de peso. Dali para o café onde tenho uma reunião. No caminho, paro na farmácia, na papelaria e no sapateiro, mas ele não tinha troco, preciso fazer um depósito. Sento numa mesa da varanda, respondo uns e-mails, escarafuncho minha pilha, não posso me esquecer de avisar que não jantaremos hoje, de deixar um envelope na portaria, de buscar o material na gráfica. Abro o computador, chega quem eu espero, toca o celular. "Dor de cabeça? Puxa... Se pode medicar? Bom, eu não estou aí, não sou pediatra, mas, se ele está com muita dor, é melhor, acho. Obrigada. Se ele não melhorar, liga outra vez, vou buscá-lo."

"Desculpe, era da escola, talvez eu tenha que sair para buscar. Mas você estava dizendo..." Será que ele está bem, será que ele está bem, será que ele está bem?

A reunião já acabou e eu nem vi passar. Sinto a pilha estalar com as possibilidades que acabei de imaginar. Enquanto cresce a pilha de ideias, o depósito para o sapateiro fica esmagado, achatado até sumir. Nada pessoal, mas como vou lembrar do homem dias mais tarde, quando o topo da pilha tiver soterrado a parte de baixo? Chegam da escola, pergunto sobre a apresentação — "Não era hoje?". Procuro na pilha. Se não despencou, perdeu-se, achei que era hoje... A dor de cabeça deve estar na pilha, mas onde, onde?! Ele já está bem, não preciso mais me preocupar, deve ser isso, só pode ser isso, que alívio, um peso a menos para carregar.

Passo na lavanderia, paro no posto, dirijo para casa, o zelador me para na garagem, quer saber se o filtro de água ficou bem instalado. Ficou? Não lembro se bebi água hoje, preciso beber mais água... "Ficou, sim, desculpe não agradecer, eu estava numa correria tão grande esses dias..."

Entro em casa sem correr. Preciso terminar um texto ainda hoje. Vou antes até a cozinha, tenho que beber um copo d'água antes de o dia acabar, acho a lista de compras na geladeira, lembro o que foi que esqueci de comprar. "Passo lá amanhã só para pegar o que faltou", penso.

Isso se eu me lembrar.

Bem debaixo dos nossos pés

Desde muito nova, eu soube que era apaixonada pelo caos de São Paulo, por sexta-feira depois do trabalho, por abraço de matar saudade, por olhar de cumplicidade. Algumas coisas simples que tiram a insignificância da vida. Tem dia em que vou sozinha a um cinema de rua pelo puro prazer frugal. Compro uma revista na banca e sento num café. Deixo o carro destrancado para achar que posso confiar.

De vez em quando, e mais ainda nas férias, me permito alguns requintes que nem sempre consigo quando a rotina cimenta os dias mais comuns. Há dias em que a cidade é mais cinzenta, o cinza é mais sufoco e o tempo mura as chances de muitos escapes.

Mas às vezes acho uma brecha para um passeio sem destino e faço de São Paulo minha cidade interiorana. Caminho daqui até ali para comprar uma barra de chocolate, mas o que quero mesmo é cumprimentar o mecânico da rua, o menino da minha padaria, a costureira que leva o cachorro magricela depois que o sol se põe. Ela mora no sobrado da esquina, em cima da oficina. Às vezes, ela me enxerga da janela, mas não sei se me reconhece, porque aceno da calçada e espero a respos-

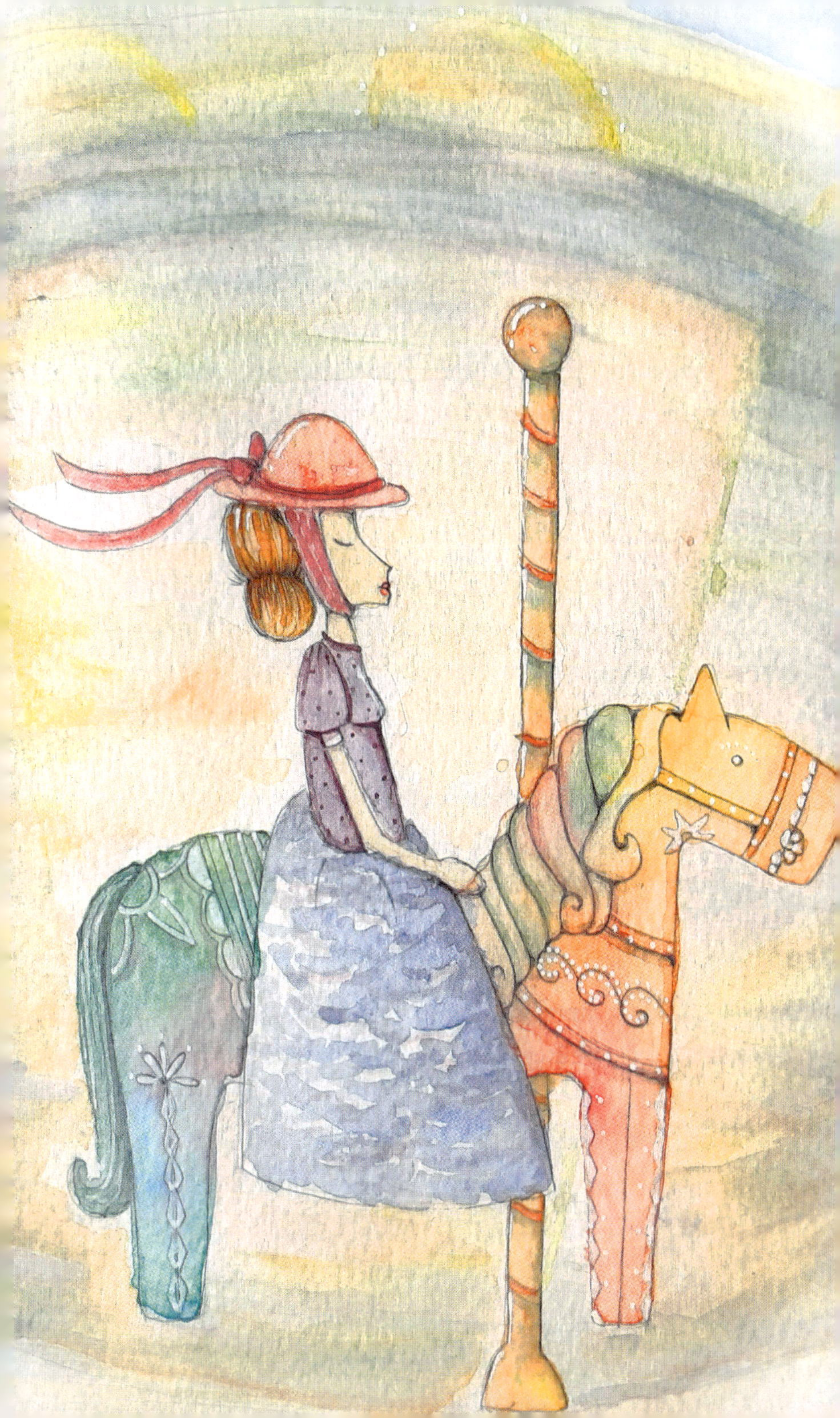

ta, mas ela apenas sorri. São luxos que deixam a vida despida dos paetês que empapuçam os dias se a gente deixar. E, se a gente deixar, os dias viram concreto no nosso sapato, bem debaixo dos nossos pés.

Ontem, de férias, caminhava de mão dada com filho, livre da muralha do tempo. Olhávamos as lojas da rua, os pedestres, os carros que sobem a ladeira apressados. E, sem esperar nada, encontrei uma dessas coisas que tiram a insignificância dos dias.

Uma prateleira amarela, pendurada no muro que já foi branco, na entrada da loja, convida os passantes à leitura generosa e compartilhada. "Leia, doe." Você pega o que quiser e deixa, em troca, o que tiver. A prateleira se renova, os leitores se revigoram. Um passarinho verde, pintado na parede, escuta o pensamento de quem passa e canta mais alto quando se emociona.

Achei essa uma boa oportunidade de lembrar ao meu filho que a cidade de pedra não é selva, que o cinza de São Paulo tem muitas cores e que por trás do concreto tem alguém, sempre.

Nem sempre prateleira e nem sempre amarela, contei a ele que a gente vai se deparar com cenas, com ideias e com histórias que nos despem da crueza e da rudeza do cimento. E que precisamos estar de olhos bem abertos para não perder nada e viver esses dias em que caminhamos de mãos dadas, papo solto, vendo e sentindo tudo o que a vida tiver para dar, para ler, para doar.

Até o próximo tropeço

A mulher vinha de bicicleta pelo calçadão, num dia quente e nublado. Não era jovem nem velha, nem esportista, nem turista, só pedalava contra o vento na companhia do mar. Ia sempre em frente, como toda a gente que passava por lá.

Um grupo volumoso também passeava distraído. Parou para uma foto.

Sentaram no banco que dava as costas para a orla. O filho menor demorou-se a notar. Quando viu todos posando e sorrindo, correu de volta, atravessou apressado, e foi então que os dois se encontraram.

Foi um belo encontrão! A bicicleta bambeou, o menino foi para o chão, mãos tremeram, pés se arrastaram, joelhos sangraram, bocas se abriram e fecharam, olhares cruzaram-se em todas as direções. Entre os presentes, na sua maioria mães, acredito que o silêncio condenava a mulher. Mas o pai se antecipou para socorrer igualmente os dois e, depois de se assegurar que todos passavam bem, desculpou-se pelo filho: "Sinto muito. Ele deveria ter prestado mais atenção".

Segui caminhando, com a cena se repetindo na minha cabeça. E se fosse o meu filho? Estou quase certa

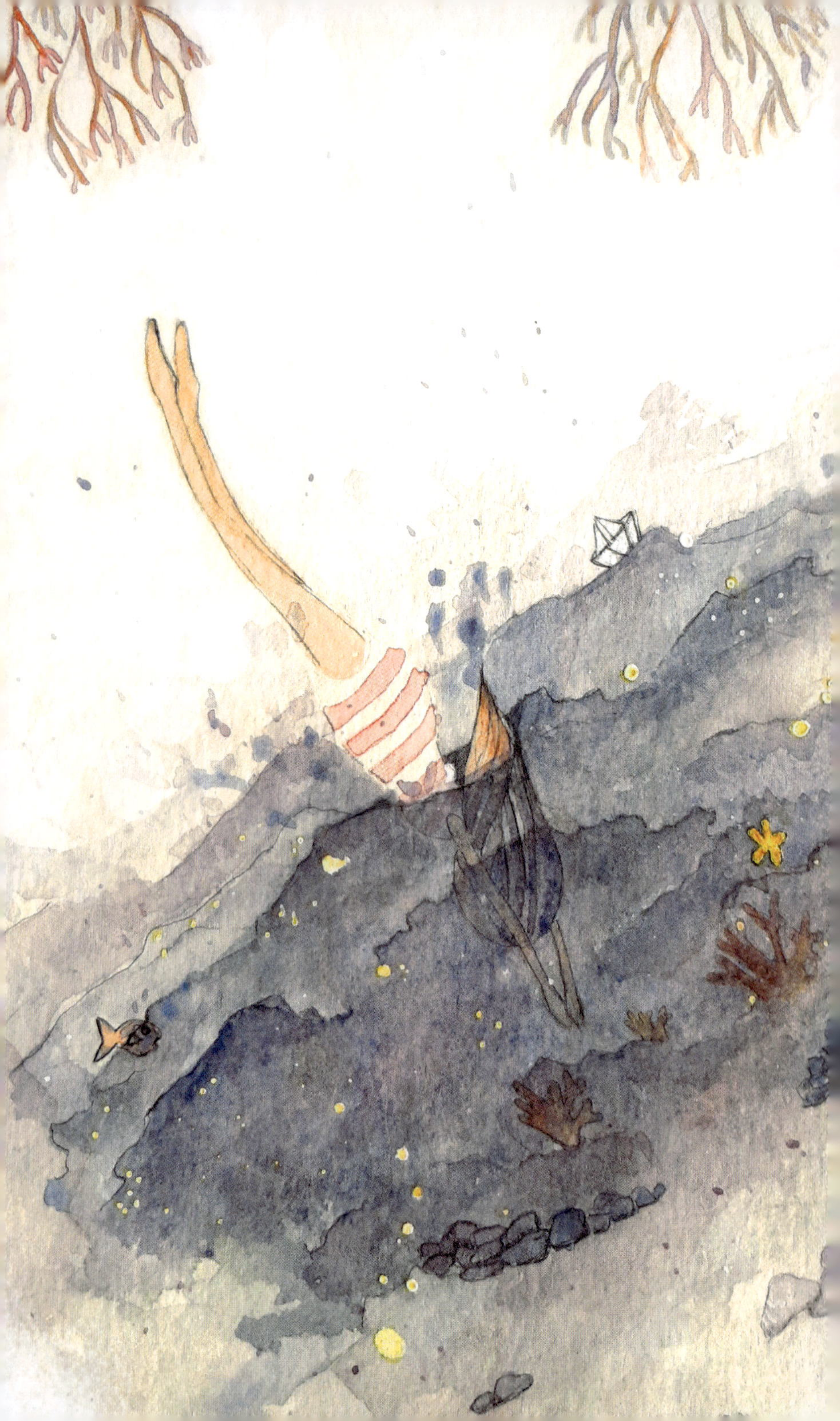

de que ouviria minha leoa rugindo em proteção da cria. Mas e se estivesse eu pedalando? Será que me desculparia por pedalar em linha reta numa via permitida? Será que aceitaria as desculpas de um pai cujo filho acabei de atropelar? Será que alguém tem alguma culpa nessa situação? E em outras? Será que estamos economizando nossas gentilezas?

Por favor, com licença, desculpe, obrigado. Desde cedo nos preocupamos em etiquetar os filhos com palavras assim. Vejo crianças que mal andam e pouco falam, balbuciando sílabas que ressoam como atestado de boa educação. Outro dia, vi dois irmãos: o mais velho tropeçou nos pés do pequeno, que levantou indignado e sentou o braço no maior. A mãe interveio: "Vou contar até três e vocês pedem desculpas". O menor saiu na frente: "Tupa". Trocaram abraços e viveram felizes até o próximo tropeço. Nenhum deles percebeu de fato o que causou tristeza no outro. Nenhum deles sentiu identificação com o que disse, nenhum deles pareceu sentir muito. A palavra "desculpa" pulou da boca dos meninos, pingou no chão e sumiu como perdigoto.

Acredito que desculpar-se eleva, agradecer pacifica, ser gentil contamina. Recentemente, desenvolvi a técnica da agressão às avessas. Funciona como um concentrado de "por-favor-com-licença-desculpe-obrigada". Basta uma dose para ser acolhida sem humilhação e acolher sem arrogância. A ideia surgiu quando combinei com uma amiga de irmos juntas ao lançamento de um livro. Eu estava lá perto, queria ir cedo, mas ela preferia ir depois. Então voltei para casa, me arrumei e esperei. Uma chuva forte atrapalhou o trânsito naquele dia, a hora foi passando, o horário combinado ficou para trás e eu esperei. Uma, duas, talvez três horas esperando, pronta, até que liguei. Ela teve preguiça, talvez desistisse de ir, será que eu ficaria muito chateada? Fiquei muito chateada. Saí franzindo a testa, bufando. Mas preferi mudar o rumo desse trem que atropela sem pedir licença e nem se desculpa, porque ele vinha na minha direção. Desviei o trilho. Fugi da raiva que me inflava das acusações que me davam razão para sentir ainda mais raiva. Ao contrário, quando cheguei — fui a última pessoa a chegar à livraria naquela noite —, abracei a orgulhosa escritora que autografava os livros e entreguei, mais orgulhosa que ela, os dois exemplares que tinha acabado de comprar: um para ler e o outro para agradecer pela amizade que não tem preço e não sucumbe às preguiças, mesmo quando esquecemos de pedir desculpas. Todos falhamos uma hora ou outra.

Todos mudamos de ideia, deixamos alguém na mão sem perceber, atravessamos distraídos, esbarramos, atrasamos, erramos. É preciso saber pedir desculpas. É preciso agradecer de coração.

Mais ainda, gosto de me desculpar e de agradecer até mesmo quando a vida atropela e esfola nossos joelhos. Isso para mim tem gosto de vento no rosto, tem cheiro de brisa e refresca a nossa existência.

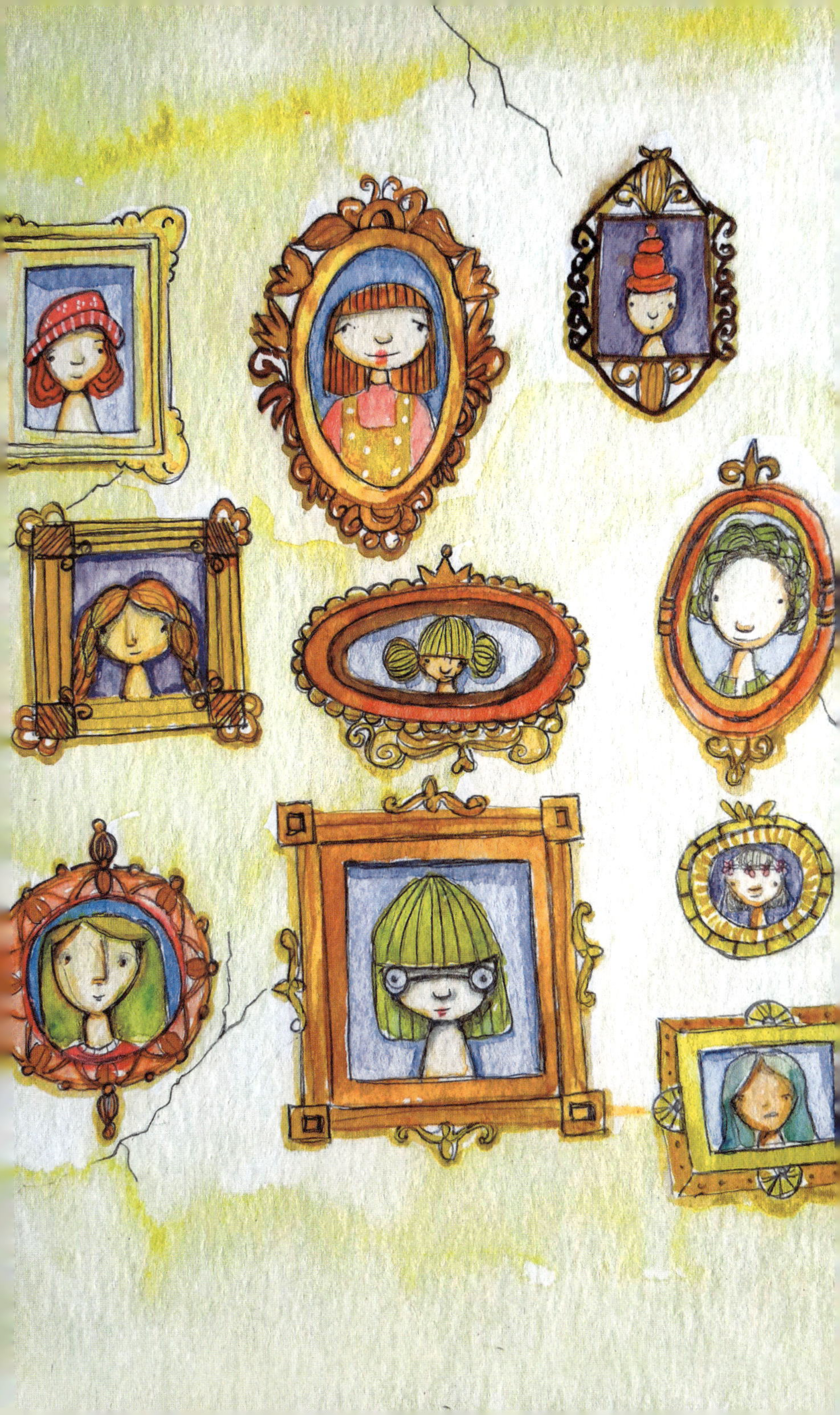

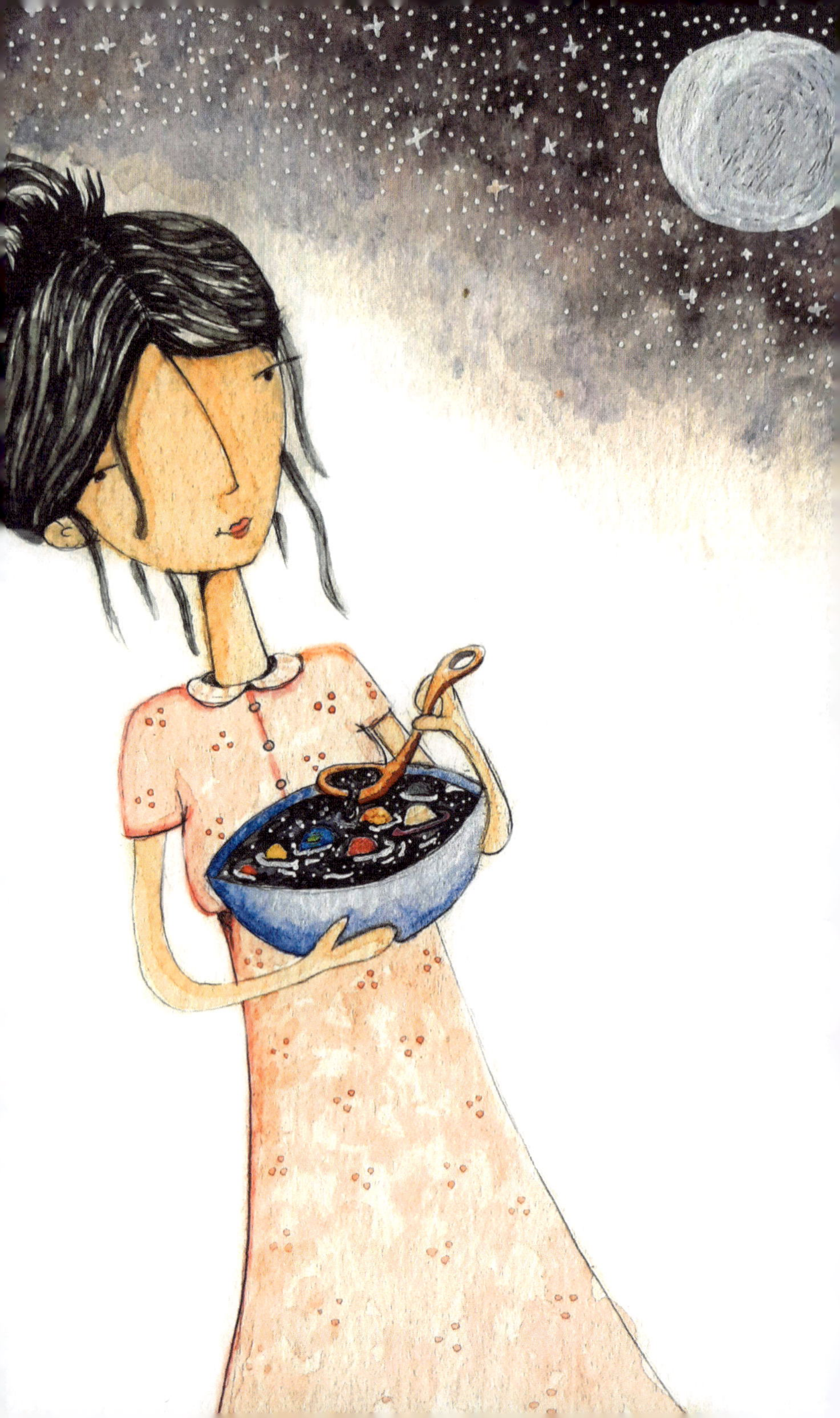

O que me alimenta

Uns dias antes de dar à luz o primeiro filho, visitei uma amiga na maternidade. Ela amamentava e eu quis saber tudo, quis aprender antes de chegar a minha vez, e ela me explicou e me mostrou, enquanto, ali ao lado, a mãe dela ria. Era o coxo ensinando o cego a andar.

Comecei a amamentar por ideologia e continuei por satisfação. Eu sabia que o leite materno é o alimento mais nutritivo para o bebê, que amamentar estimula o desenvolvimento motor e emocional da criança, que estabelece uma conexão profunda com a mãe e tudo o mais que dizem as cartilhas para gestantes. Mas não sabia que a sensação de prazer seria avassaladora. Era mesmo uma convocação ao meu papel, como se a cada três horas eu renovasse os votos de dedicação.

Durou praticamente um ano com cada filho, e só parei quando achei que estávamos, os dois, prontos para isso. Não sou boa com despedidas. Se dependesse só de mim, talvez não me sentisse pronta nunca. Acho difícil essa coisa de ver filho crescer, sair do meu colo, escolher os próprios passos, dizer o que gosta e quer... Acho estranho que a maternidade seja para qualquer um, sem formação, sem treino, sem manual e sem supervisão. Nós nos preparamos para tanta coisa e, quando o assunto é dos mais sérios da vida, a vida nos deixa na mão, nos cobra aprender na marra, só errando para poder acertar. Não é à toa que acho o termo "mãe louca" tão redundante. Não existe mãe preparada para tudo. Vamos vivendo a loucura de padecer no paraíso, sempre despreparadas para o próximo capítulo. Tem dia que preciso mesmo relembrar de três em três horas que ainda estou aprendendo e que a escola é experimental. E que vamos brigar e discordar muito ainda, porque é disso que se nutrem os filhos na constituição do seu caráter.

Escrevo este texto durante a Semana Mundial da Amamentação, o que me faz lembrar que mãe nutre para que o filho cresça e não caiba mais no colo, se reconheça inteiro e não como extensão da mãe, do pai, da família. Mãe nutre filho esperando que encontre conforto no seio materno, mesmo quando ela não estiver lá.

Nessa semana em que o tema está mundialmente em pauta, levanto de novo a bandeira da amamentação. Não só no peito, não só exclusiva, em livre demanda ou com hora marcada, amamentar alimenta a existência humana quando coloca um bebê no colo de alguém que cuida e olha nos olhos dele, enquanto alenta e acalenta. Faz do bichinho pessoa, embora pareça ser exatamente o contrário.

Não participo de nenhum movimento social, mas faço um convite a mães e pais, e a todos os cuidadores de crianças pequenas e grandes, para que se conectem profundamente com os filhos, com disponibilidade e entrega, com interesse sincero, com vontade. Amamentar, para mim, sempre foi uma sensação indescritível, puro deleite. Mas é só porque mãe tem memória curta.

A maternidade não é nada disso que vemos nos potes de margarina. Mas amamentar, criar e educar filho é o que me alimenta e me faz crescer.

A essência da peça

Uma ideia desponta no recanto mais fundo da minha cabeça. É uma ponta de ideia, que ainda não deu as caras, mas já começa a me cutucar. Ela me chama, me acende, preciso escrever.

Mas um texto, para ser meu, vivo e inteiro, precisa de muita dedicação para nascer. Não levo nove meses para gestar cada escrita, mas pôr um desses no mundo é um parto. Quero que ele seja inteligente, delicado, bem-humorado, simpático, corajoso, lindo. Não canso de reler, de reescrever e de ter desejo de perfeição, de imaginar seu rosto correndo mundo. Não canso! E se publico, ainda continuo lambendo a cria, revejo, remexo e sonho com o irretocável.

Que obsessão pelo texto perfeito... Seria coisa de escritora ou paranoia de mãe? Mas é possível amar o imperfeito?

Um casal de amigos meus saiu do consultório médico, anos atrás, dando as mãos para o filho, 5 anos, como se carregassem o túmulo dele. Não sabiam como digerir a novidade: o filho precisaria usar óculos. Acompanhei de perto uma angústia que não me fazia sentido, já que fui a menina que sempre quis usar aparelho nos dentes, engessar o braço e usar óculos! Ainda demorei uns dias até compreender que tudo não passava de uma enorme dificuldade em admitir que, se o filho era míope, ele não era perfeito. Mas míopes estavam os pais, que passaram a ver um borrão de filho onde antes viam uma pintura. E como amá-lo da mesma maneira? Ou melhor, de outra?

Assisti a um documentário na TV em que um artesão falava sobre os móveis de madeira que fazia e sua frustração por ver pessoas trazendo mesas antigas para restauração pelo fato de estarem manchadas. "Mas essas manchas contam a história do móvel", ele dizia. "Essa é a essência da peça."

As manchas davam às mesas uma beleza única, marcavam a história delas, as tiravam da condição de vitrine para ganhar uma história de verdade. E a verdade é que a perfeição não chega nunca.

Nossos filhos nunca são exatamente o que sonhamos. Mas são eles que nos chamam, nos acendem e nos convocam a ser os pais perfeitos. A viver, acima de tudo, mais essa obsessão.

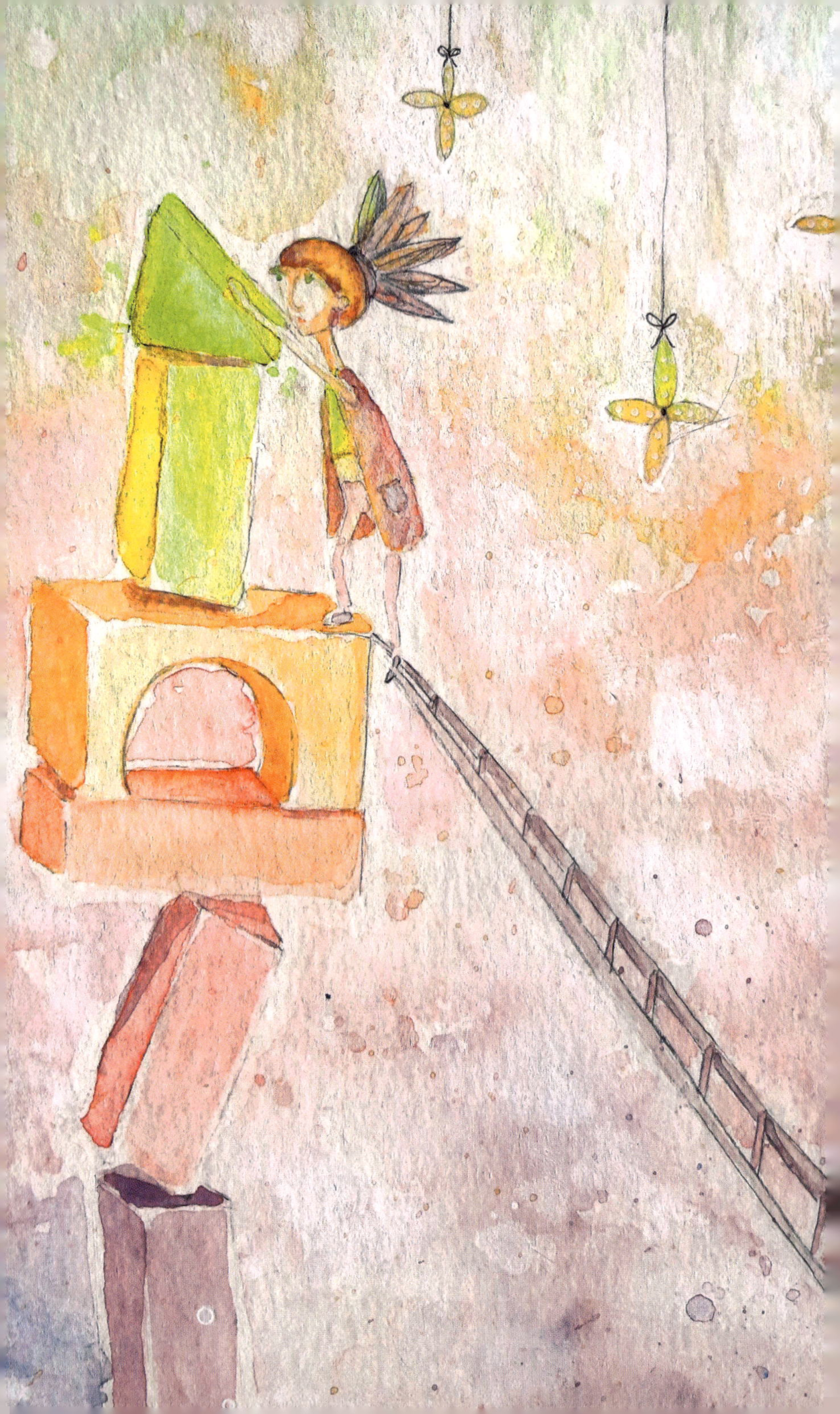